D1516136

À la recherche de
l'Épée de Lumière

Pour Susan Sultan et Kathy Reynolds,
mes guides au pays des Selkies.

Titre original : *Summer of the Sea Serpent*
© Texte, 2004, Mary Pope Osborne.
Publié avec l'autorisation de Random House Children's Books,
un département de Random House, Inc., New York, New York, USA.
Tous droits réservés.
Reproduction même partielle interdite.
© 2007, Bayard Éditions Jeunesse pour la traduction française
et les illustrations.

Conception et réalisation de la maquette : Isabelle Southgate.
Illustration de couverture et illustrations intérieures : Philippe Masson.
Colorisation de la couverture, illustrations de l'arbre, de la cabane
et de l'échelle : Paul Siraudeau.

Loi n° 49-956 du 16 juillet 1949
sur les publications destinées à la jeunesse.
Dépôt légal : janvier 2007 – ISBN : 9782-7470-2035-0
Imprimé en Allemagne par Clausen & Bosse

La Cabane Magique

À la recherche de l'Épée de Lumière

Mary Pope Osborne

Traduit et adapté de l'américain
par Marie-Hélène Delval

Illustré par Philippe Masson

BAYARD JEUNESSE

Léa

Prénom : Léa

Âge : sept ans

Domicile : près du Bois de Belleville

Caractère : espiègle et curieuse

Signes particuliers : ne manque jamais une occasion d'entraîner son frère Tom dans des aventures mouvementées, sans se soucier du danger.

Tom

Prénom : Tom

Âge : neuf ans

Domicile : près du Bois de Belleville

Caractère : studieux et sérieux

Signes particuliers : aime beaucoup les livres, qui l'aident à se sortir de situations périlleuses.

Les vingt-cinq premiers voyages de Tom et Léa

Tom et Léa ont découvert dans le bois de Belleville, perchée en haut d'un chêne, une cabane pleine de livres. C'est une

cabane magique !

Elle appartient à la fée Morgane, une magicienne et une célèbre bibliothécaire qui voyage à travers le temps et l'espace pour rassembler des livres.

Nos deux jeunes héros ont déjà vécu des **aventures extraordinaires** ! Il leur suffit d'ouvrir un livre, de poser le doigt sur une image en souhaitant se trouver à l'endroit représenté, et ils y sont aussitôt transportés !

Dans les derniers épisodes, le magicien Merlin a envoyé Tom et Léa dans des lieux légendaires.

Souviens-toi :

dans *Les mystères du château hanté,* les enfants étaient chargés de rétablir l'ordre au château du terrible duc...

Nouvelle mission

 Merlin envoie Tom et Léa chercher

l'Épée de Lumière !

Sauront-ils éviter tous les dangers ?

Lis vite
ce nouveau « Cabane Magique »
et pars à la découverte
de la crique des Tempêtes !

Prêt à suivre Tom et Léa
dans leurs dangereuses aventures ?

Bon
voyage !

1

Le solstice d'été

Il fait chaud. Tom feuillette un journal à l'ombre du porche.

Léa passe la tête par la porte :

– Hé, Tom ! Maman nous emmène au lac, cet après-midi !

Le nez dans sa lecture, le garçon annonce :

– Aujourd'hui, d'après la page météo, c'est le solstice d'été.

– Qu'est-ce que ça veut dire ?

– Que c'est le début de l'été, le jour le plus long de l'année !

– Super !

À cet instant, un cri perçant retentit au-dessus de leurs têtes.

– Regarde ! s'exclame Léa. Une mouette !

Tom lève les yeux. Une grande mouette blanche plane dans la lumière éblouissante de midi.

– Que fait-elle ici ? s'étonne le garçon. La mer est à deux heures d'ici !

La mouette descend en décrivant de grands cercles et lance un autre cri.

– Et si c'était une messagère envoyée par Morgane ou par Merlin ? dit Léa. Si elle nous prévenait que la cabane magique est de retour ?

Le cœur de Tom se met à battre plus fort. Il pose le journal :

– Tu crois ?

Depuis leur mission dans un château hanté, à l'époque de Halloween[1], les enfants n'ont pas revu la cabane. Ils craignaient déjà qu'elle ne revienne jamais.

– La mouette vole vers le bois de Belleville…, souffle Léa.

Tom saute sur ses pieds :

[1] Lire le tome 25, *Les mystères du château hanté.*

– Allons-y !

Léa lance en direction de la cuisine :

– On sort, maman ! On n'en a pas pour longtemps.

Les deux enfants traversent le jardin au pas de course, ils remontent la rue et arrivent bientôt dans le bois.

Les rayons du soleil qui passent entre les branches dessinent des taches de lumière sur le sol ; l'air est frais. Tom et Léa ne cessent de courir qu'en arrivant devant le plus grand chêne. À sa cime, cachée entre les feuilles, la cabane magique les attend.

– Wouah… ! lâchent-ils en même temps.

Léa empoigne l'échelle de corde et commence à grimper. Tom la suit. Cette fois encore, il n'y a personne dans la cabane.

– L'invitation royale est toujours là, remarque Léa en désignant la carte qui les a amenés au château de Camelot, la veille de Noël[1].

– Et aussi la feuille envoyée par Merlin ! ajoute Tom.

Il ramasse la feuille jaunie qu'ils ont reçue pour Halloween et la fait tourner entre ses doigts.

– Moi, je vois quelque chose d'autre ! s'écrie Léa.

[1] Lire le tome 24, *Au royaume du roi Arthur*.

Elle désigne une coquille Saint-Jacques en forme d'éventail. Des lettres d'or scintillent à l'intérieur.

– C'est l'écriture de Merlin, constate la petite fille. Le grand magicien a sûrement besoin de nous pour une nouvelle mission !

Elle lit à haute voix le message écrit dans le creux nacré :

À Tom et Léa
du bois de Belleville
En ce jour du solstice d'été,
Voyagez vers un pays de brume
En une époque très lointaine,
Où Camelot lui-même n'existait pas.
Cette comptine vous aidera
À réussir votre mission !

M.

Léa lève la tête, étonnée :

– Quelle comptine ?

– Montre ! dit son frère en lui prenant la coquille des mains.

Il la retourne. Sur l'autre face, il découvre une sorte de poème. À son tour, il lit :

Avant que la nuit tombe, en ce long jour d'été,
Qu'entre vos mains surgisse, éclatante, une épée !
Pour réussir votre quête de cette Épée de Lumière,
Vous appellerez à l'aide le Chevalier des Eaux,
Traverserez la grotte de la Reine Araignée…

– La Reine Araignée ? répète Léa en fronçant les sourcils.

De toutes les bêtes qui existent, les seules qui lui fassent peur, ce sont les araignées !

– On s'inquiétera de ça plus tard, dit son frère. Écoute la suite :

Avec la verte Selkie vous nagerez,
Dans la crique des Tempêtes vous entrerez,

Sous le manteau du Vieux Fantôme Gris
vous plongerez.

Tom interrompt sa lecture :
– Le Vieux Fantôme Gris ?
Cette fois, c'est à Léa de déclarer :
– On s'inquiétera de ça plus tard.
Continue !
Tom reprend :

Sans peur, avec votre cœur
À une question vous répondrez !
Par une formule et par l'épée,
Votre maison vous retrouverez !

Les deux enfants restent songeurs un bon moment. Puis Tom soupire :
– Et tout ça avant la fin de la journée ?
– Oui, souffle Léa. Et je n'aime pas trop cette histoire de Reine Araignée…
– Et moi, celle du Vieux Fantôme Gris !

– Tu sais quoi ? s'écrie soudain la petite fille. Si c'est Merlin qui nous envoie en mission, je parie que Teddy va venir avec nous. Il nous protégera du danger.

– Exact ! approuve Tom, déjà ragaillardi rien qu'en entendant le nom de leur ami.

– Alors, on y va ?

– On y va !

Tom pose le doigt sur la coquille Saint-Jacques :

– Nous souhaitons partir pour cette époque lointaine !

Aussitôt, le vent se met à souffler, la cabane à tourner. Elle tourne plus vite, de plus en plus vite ; elle tourbillonne comme une toupie folle.

Puis tout s'arrête, tout se tait.

2

Le Chevalier des Eaux

Une brise salée pénètre dans la cabane. On entend le cri strident des mouettes. Tom et Léa courent à la fenêtre.

La cabane est perchée sur les plus hautes branches d'un vieil arbre au tronc tordu. L'arbre pousse au bord d'une falaise qui surplombe la mer. Au loin, des montagnes aux sommets enneigés dominent une côte rocheuse. Nulle part on ne voit signe de vie humaine.

– C'est sauvage, par ici, constate Léa. Et plutôt désert…

– Complètement désert, tu veux dire ! Je me demande où on va retrouver Merlin et Teddy.

– À notre dernière mission, ils étaient à l'intérieur du vieux chêne. Voyons s'ils sont dans le tronc de cet arbre-ci !

Léa redescend par l'échelle de corde. Tom enfonce la coquille Saint-Jacques dans sa poche et suit sa sœur.

Arrivée en bas, la petite fille appelle :

– Merlin ? Teddy ?

Pas de réponse.

Les enfants font trois fois le tour de l'arbre. Ils tapotent l'écorce à plusieurs endroits. Ils ne trouvent aucune fente, aucune ouverture pour pénétrer dans la chambre magique de l'Enchanteur.

– Il n'y a personne, là-dedans, conclut Léa.

– Je crois que tu as raison.

– Ils sont peut-être en bas, sur le rivage ?

Tom et Léa s'avancent jusqu'au bord de la falaise et observent la côte découpée. Ils découvrent trois criques, séparées par des blocs de rochers escarpés. On y devine l'entrée de nombreuses grottes. Les vagues scintillantes s'engouffrent dans la première crique et viennent mourir sur une plage de galets.

La deuxième crique ressemble à la première, en plus petit.

La troisième est différente. C'est la plus éloignée, et elle est entourée de collines

d'un vert intense. Une brume blanche flotte au-dessus de ses eaux aux reflets laiteux.

– Je ne vois ni Merlin ni Teddy, dit Tom. On va être obligés de commencer cette quête sans eux.

– Si on relisait le début de la comptine ? suggère Léa.

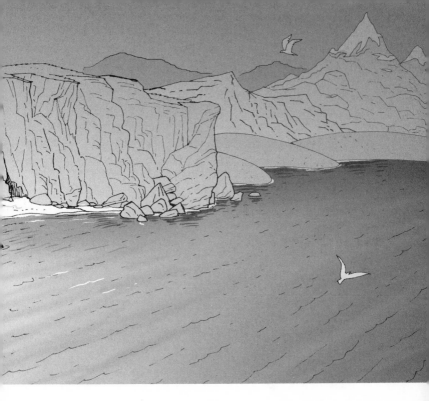

Tom sort la coquille de sa poche et déclame à haute voix :

Avant que la nuit tombe, en ce long jour d'été,
Qu'entre vos mains surgisse, éclatante, une épée !

Tom lève les yeux vers le ciel. Le soleil est juste au-dessus de leur tête.

– Il est midi.

– Oui, fait Léa. On n'a pas beaucoup de temps.

Le garçon continue :

Pour mener votre quête de cette Épée de Lumière,
Vous appellerez à l'aide le Chevalier des Eaux…

– Facile ! s'exclame Léa.

– Comment ça ?

– Oui. Un Chevalier des Eaux, il est forcément en bas, près de l'eau !

Et la petite fille s'engage dans un étroit sentier, très raide, qui descend jusqu'à la première crique. Tom remet la coquille dans sa poche et s'élance derrière elle en criant :

– Tu sais à quoi ça ressemble, toi, un Chevalier des Eaux ?

– Non. Aucune importance ! Tout ce qu'on a à faire, c'est aller sur le rivage et l'appeler à l'aide.

Une fois en bas, ils escaladent de gros rochers couverts d'algues. Heureusement, les semelles de leurs baskets les empêchent de glisser. La brise chargée d'embruns qui souffle du large mouille leur peau et leurs vêtements.

Quand ils arrivent sur le rivage de la première crique, Tom essuie les verres de ses lunettes et regarde autour de lui. La plage est couverte de galets, de coquillages et d'écume. Des mouettes et des goélands picorent les longs rubans d'algues abandonnés par la mer.

– C'est marée basse, on dirait, fait remarquer Tom.

Puis il examine la falaise et déclare :

– Je me demande comment un chevalier pourrait descendre jusqu'ici. Son cheval n'arriverait pas à passer entre tous ces rochers !

– Suivons le conseil de la comptine, dit Léa. On verra bien.

La petite fille ferme les yeux, elle écarte les bras, renverse la tête et, le visage levé vers le ciel, elle clame :

– Ô Chevalier des Eaux ! Qui que tu sois, montre-toi et viens aider Tom et Léa !

– C'est pas vrai…, marmonne Tom entre ses dents.

Les mouettes se mettent à pousser des

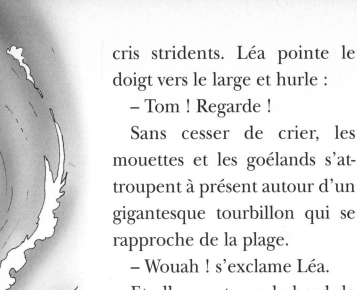

cris stridents. Léa pointe le doigt vers le large et hurle :

– Tom ! Regarde !

Sans cesser de crier, les mouettes et les goélands s'attroupent à présent autour d'un gigantesque tourbillon qui se rapproche de la plage.

– Wouah ! s'exclame Léa.

Et elle court vers le bord de l'eau.

Tom, lui, recule en criant :

– Léa ! Ne reste pas là !

– Mais si ! Viens voir !

Le garçon hésite, fait quelques pas prudents… Dans un brouillard d'écume étincelante, il voit alors surgir de l'eau un casque d'argent, puis le haut d'une armure. Enfin, une bête extraordinaire apparaît, portant le chevalier sur son dos.

La créature a la tête, l'encolure et les jambes avant d'un cheval. Mais, à la place de ses jambes arrière, il a une longue queue de poisson aux écailles argentées !

L'étrange cheval de mer s'avance, moitié nageant, moitié galopant. Les mouettes criardes l'accompagnent jusqu'au rivage.

Le chevalier regarde les enfants et agite sa main gantée comme pour leur faire signe de le rejoindre.

– On arrive ! lance Léa.

Elle commence aussitôt à enlever ses baskets.

– Attends ! proteste Tom. Réfléchissons d'abord à…

– On n'a pas le temps ! Tu vois bien qu'il est là pour nous, comme le cerf blanc de Camelot !

– Je n'en suis pas sûr. Il est bien plus… bizarre !

Mais sa sœur a déjà envoyé valser ses chaussures sur les rochers, et elle patauge dans l'eau.

Le chevalier lui tend la main pour la hisser sur le dos de son incroyable monture. La créature donne un grand coup de queue, envoyant une gerbe d'éclaboussures.

– Viens, Tom ! crie la petite fille. Dépêchons-nous !

Ils n'ont pas de temps à perdre. Ils doivent retrouver l'Épée de Lumière avant la tombée de la nuit. À son tour, Tom se déchausse, jette ses baskets sur les rochers, près de ceux de Léa. Il s'engage dans l'eau froide et barbote vers le chevalier.

Léa aide son frère à enfourcher le cheval de mer. Le garçon s'installe comme il peut sur la queue écailleuse. Il entoure de ses bras la taille de sa sœur, qui s'accroche fermement à la tunique du Chevalier des Eaux.

La grande queue de poisson frappe l'eau. Tom est trempé comme une soupe. Il serre les paupières et souffle :

– C'est parti…

Le Chevalier des Eaux fait virer son destrier, qui s'éloigne du rivage. Les mouettes l'escortent en criant plus fort que jamais.

Tom est aussi secoué que sur un cheval au galop. Les yeux fermés, il se cramponne de toutes ses forces à Léa pour ne pas tomber.

Le Chevalier des Eaux guide adroite-
ment l'étrange animal à la crête des
vagues. Bientôt, la bête prend un rythme
ample et régulier.

– C'est magnifique ! s'exclame Léa.

Tom rouvre les yeux. Les embruns lui mouillent le visage, le vent lui ébouriffe les cheveux ; sa peur s'apaise. À présent, il se sent très excité.

– Je te parie qu'il nous emmène là où se trouve l'Épée de Lumière ! lui crie Léa. On va réussir cette mission en un rien de temps !

« Ça m'étonnerait… », pense Tom.

Puis, à mesure qu'ils sautent par-dessus les vagues à une vitesse vertigineuse, il commence à y croire.

« Elle a peut-être raison. Ce sera peut-être une mission facile, cette fois. Pourquoi devrait-elle être difficile ? Oui, mais que signifie la suite de la comptine ? Qu'est-ce que… »

Tom n'a pas le loisir d'aller au bout de sa réflexion. Le cheval de mer se cabre brusquement. Les deux enfants dégringolent le long de sa queue de poisson et basculent dans l'eau glacée.

Ils s'enfoncent, puis remontent à la surface, battant frénétiquement des bras et des jambes.

Le Chevalier des Eaux, le doigt tendu, leur désigne un amas de rochers au pied d'une falaise. Puis il agite sa main gantée pour les saluer.

– Au revoir ! Et merci ! lui lance Léa.

Le cheval de mer frappe l'eau de sa puissante queue, envoyant autour de lui une pluie de gouttelettes. Puis le mystérieux personnage et son fabuleux destrier marin font volte-face et repartent vers le large, suivi par un vol de mouettes. En un instant, ils disparaissent.

La grotte de la Reine Araignée

De petites vagues meurent doucement sur le rivage de la crique devant laquelle le Chevalier des Eaux a déposé Tom et Léa. Les enfants nagent jusqu'aux rochers, en bas de la falaise. Trempés, ils restent assis là un moment, le temps de reprendre haleine et de se réchauffer au soleil.

– C'était fantastique ! soupire Léa.

– Oui…, approuve Tom, essoufflé. Mais pourquoi… pourquoi il nous a laissés ici ? Qu'est-ce qu'on va faire, maintenant ?

– Regarde la comptine ! Qu'est-ce qu'elle

dit, après « vous appellerez à l'aide le Chevalier des Eaux » ?

Tom fouille dans sa poche et en sort le coquillage. Il lit :

Vous appellerez à l'aide le Chevalier des Eaux, Traverserez la grotte de la Reine Araignée…

Léa prend une grande inspiration :

– Oh, c'est vrai ! La Reine Araignée…

– Ne t'inquiète pas, lui dit Tom d'un ton rassurant. « Reine Araignée », ce doit être un surnom. C'est sans doute une femme, pas une bête.

– Oui, mais… Si elle est moitié femme et moitié araignée ? Comme le roi Corbeau, qui était moitié homme et moitié oiseau[1] ?

Tom frissonne en se rappelant le monstre qu'ils ont affronté lors de leur dernière mission.

44

[1] Lire le tome 25, *Les mystères du château hanté.*

– Ne pense pas à ça. Cherchons plutôt la grotte.

Léa hoche la tête et sourit bravement :

– Tu as raison. Allons-y !

Les enfants se lèvent et, pieds nus, escaladent les rochers escarpés, en bas de la falaise. Soudain, ils poussent une exclamation : devant eux bâille une ouverture sombre. L'entrée de la grotte est barrée par des sortes de cordes épaisses et blanchâtres, tissées ensemble en forme de toile d'araignée.

– Si c'est la toile d'une véritable araignée, on est mal…, gémit Léa.

Tom s'efforce de paraître calme et sûr de lui :

– Hmmm… Les dimensions de la toile n'ont aucun rapport avec celles de l'animal. D'ailleurs, j'ai lu quelque part qu'aucune espèce d'arachnide ne dépasse la taille d'une assiette.

– Oui ! Et aucun cheval n'a une queue de poisson géant ! rétorque la petite fille.

« Bien vu ! » songe Tom.

– Concentrons-nous sur l'essentiel, poursuit-il. Nous devons trouver l'Épée de Lumière avant la tombée de la nuit.

Il ramasse une pierre presque aussi grosse qu'un ballon de foot et la lance de toutes ses forces vers l'entrée de la grotte. La pierre traverse la toile et roule à terre, entraînant avec elle des lambeaux de fils poisseux.

Le garçon se tourne vers sa sœur :

– Prête ?

Léa ne bouge pas.

Tom la prend par la main :

– N'aie pas peur ! Je ne laisserai aucune araignée t'attraper ! On y va ?

– On y va, répète Léa d'une toute petite voix.

Piétinant les morceaux de toile, les enfants pénètrent dans le repaire de la Reine Araignée.

Leurs pieds nus glissent sur le sol humide. Les parois de la caverne sont noires et luisantes.

– Hiiiiiiii ! piaille soudain Léa.

Une petite bête rose court de côté, de toute la vitesse de ses pattes.

– Ce n'est rien, Léa ! C'est un crabe !

Plus ils s'enfoncent dans la caverne, plus

il fait sombre. Finalement, Tom distingue une faible lueur au bout d'un passage voûté :

– Par là !

Ils s'engagent dans ce tunnel et surgissent dans une vaste salle ronde, très haute de plafond. Des fentes dans le rocher laissent passer des rayons de soleil. Une brume lumineuse s'accroche aux parois recouvertes de mousse et flotte sur le sol verdâtre et spongieux, constellé de petites flaques. Des gouttes d'eau y tombent une à une depuis la voûte et rebondissent avec des plic ! et des ploc ! Des espèces de gazouillis s'échappent des parois émaillées de trous et de crevasses.

– Qu'est-ce que c'est, ce bruit ? balbutie Léa.

– Des grillons, probablement, ou des bébés chauves-souris.

– Non, ce bruit-là ! Ce chuchotement !

Tom tend l'oreille. Alors, il entend : on

dirait quelqu'un qui parle à voix très basse. Il n'arrive pas à saisir les mots. Ça fait seulement chchchch-chchchch-chch-chch… Il sent ses cheveux se hérisser sur sa nuque. Lui aussi, il commence à avoir peur.

– Cet endroit me fiche la frousse, souffle Léa.

– On n'a pas besoin d'y rester. La comptine dit seulement qu'on doit le traverser.

– Traversons-le en vitesse !

Tom et Léa s'avancent dans la lumière glauque de la caverne. Le sol mou chuinte sous leurs pas. Tout en cherchant la sortie, ils surveillent les alentours du coin de l'œil, de crainte de voir surgir la Reine Araignée.

Soudain, Léa désigne une étoile de mer d'un bel orangé accrochée au plafond :

– Hé, Tom ! Regarde ! Comment est-elle arrivée là ?

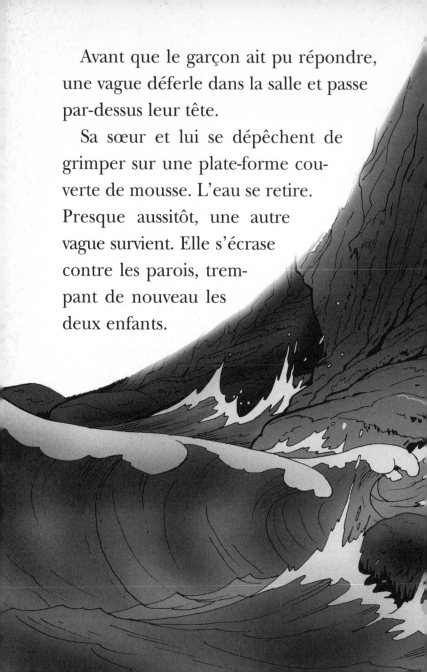

Avant que le garçon ait pu répondre, une vague déferle dans la salle et passe par-dessus leur tête.

Sa sœur et lui se dépêchent de grimper sur une plate-forme couverte de mousse. L'eau se retire. Presque aussitôt, une autre vague survient. Elle s'écrase contre les parois, trempant de nouveau les deux enfants.

– Aïe, aïe, aïe ! s'écrie Tom. La marée monte. Bientôt, la grotte va s'emplir d'eau !

La deuxième vague se retire. Pendant un petit moment, rien ne se passe.

– Sortons d'ici tout de suite ! reprend Tom. Vite ! Retournons à l'entrée !

Tous deux sautent de leur refuge. Au même instant, une troisième vague envahit la salle. Celle-là est si violente qu'elle les renverse.

Tom attrape la main de Léa. Luttant contre le reflux, ils se réfugient de nouveau sur l'escarpement de rocher. L'eau bouillonne autour d'eux en gargouillant. Tom comprend qu'ils sont coincés :

– On ne peut pas repartir par où on est venus. Les vagues sont trop fortes, on serait emportés.

– Essayons de nous faufiler par là, propose Léa en désignant une large fissure dans la voûte.

– C'est trop haut ! On n'y arrivera jamais !

Tom regarde fiévreusement autour de lui, cherchant une autre issue. Soudain, il reste pétrifié d'horreur.

Accroupie sur une corniche, non loin de la fissure, se tient la Reine Araignée. Ses huit yeux rouges luisent dans l'ombre. Ses huit longues pattes velues frémissent. Et elle est beaucoup plus large qu'une assiette.

En vérité, la Reine Araignée est plus grosse que Tom !

Une échelle...
d'araignée !

Tom attrape la main de Léa :

– Quoi que tu fasses, ne regarde pas vers le haut !

Évidemment, la petite fille lève la tête.

– Aaaaaaaaaaaah ! hurle-t-elle.

Et elle s'apprête à se jeter dans le flot écumant.

Une autre vague s'écrase avec fracas dans la grotte. Tom a juste le temps de rattraper sa sœur :

– Ne saute pas là-dedans ! Tu vas te noyer !

Dominant le rugissement de l'eau, un long chuintement résonne dans la caverne :

– Restez ! Restez ! Restez !

Les huit yeux rouges de la créature sont fixés sur les enfants, qui la regardent, tétanisés.

L'araignée géante lance alors vers eux un fil d'argent aussi épais qu'une corde. Tom et Léa se baissent pour l'éviter, et le fil se colle contre le mur.

– Qu'est-ce que… qu'est-ce qu'elle fabrique ? balbutie Léa.

– Je ne sais pas.

La Reine Araignée agite ses huit pattes et se rapproche de la fissure. Elle regarde encore les enfants, puis lance une deuxième corde luisante.

– Attention ! crie Tom.

Sa sœur et lui s'accroupissent vivement.

Tchac ! Le second fil se colle à deux pas du premier.

– Oh, non ! souffle Léa en désignant le monstre d'un doigt tremblant.

L'énorme bête s'est mise à zigzaguer entre les deux fils. Elle descend vers eux !

Tom et Léa s'aplatissent contre la paroi.

– Il faut qu'on parte d'ici ! hurle Léa.

Mais une vague encore plus puissante que les autres déferle dans la grotte. L'eau écumante tourbillonne bruyamment.

– On ne peut pas partir ! s'affole Tom.

– On ne peut pas rester ! gémit Léa.

– Attendez ! Attendez ! Attendez ! chuchote la Reine Araignée.

Elle descend toujours, tissant sa toile, elle descend, descend…

Les enfants restent muets de terreur.

Puis, à l'instant où elle arrive si près qu'elle pourrait les toucher du bout d'une patte, l'énorme bête fait demi-tour. Et remonte à toute vitesse vers le plafond, laissant derrière elle une échelle géante aux barreaux argentés. Une fois en haut, elle fixe de nouveau les enfants de ses yeux rouges :

– Grimpez ! Grimpez ! Grimpez !

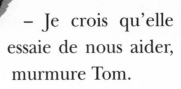

– Je crois qu'elle essaie de nous aider, murmure Tom.

– Non, pleurniche Léa en s'agrippant au bras de son frère. Elle veut nous capturer !

– Grimpez ! Grimpez ! Grimpez !

Il y a dans cette voix quelque chose qui rassure Tom. Le garçon est persuadé que l'araignée a de bonnes intentions.

– Elle ne nous fera pas de mal, dit-il. Elle nous offre un moyen de nous échapper. De toute façon, on n'a pas le choix…

À chaque vague qui s'écrase dans la grotte, l'eau monte un peu plus. Elle a inondé la plate-forme où les enfants se sont réfugiés, elle emprisonne leurs chevilles dans un bracelet glacé.

– On va monter par cette « échelle

d'araignée », décide Tom. Je passe le premier.

Il tend la main et empoigne l'un des fils géants. C'est humide et poisseux. Il se hisse et pose les pieds sur l'échelon du bas.

– Grimpe ! crie-t-il à sa sœur en essayant
de couvrir le grondement de l'eau. Il faut
qu'on atteigne la fissure dans la voûte !

Léa attrape le fil.

– Berk ! fait-elle. C'est dégoûtant.

– Ne t'occupe pas de ça et grimpe !

Les enfants entament l'escalade, s'agrippant fermement aux étranges cordes. L'échelle s'étire et se balance, mais elle est assez solide pour résister à leur poids. Ils ne risquent pas non plus de glisser et de tomber, tant ça leur colle aux mains et aux pieds.

Peu à peu, ils s'élèvent au-dessus des vagues qui continuent de déferler à l'intérieur de la grotte. Lorsqu'ils sont tout près de la fissure, Tom jette un œil vers la Reine Araignée. Elle les observe avec attention.

Enfin, Tom touche la voûte. Il s'écarte sur un côté de l'échelle, se plaçant entre Léa et l'araignée géante, et il ordonne à sa sœur :

– Sors la première !

La petite fille s'accroche au rocher et passe la tête par l'ouverture.

– On va être obligés de sauter dans l'eau, constate-t-elle.

– C'est haut ?

– Assez. Mais ça ira.

– Attends une minute…

Trop tard ! Léa s'est déjà faufilée dans la fissure.

– Léa ! Sois prudente !

SPLACH !

– Aïe, aïe, aïe… ! marmonne Tom.

À son tour, il s'approche de la fente. Puis il jette un dernier regard à la Reine Araignée.

Les yeux de la bête rougeoient dans la pénombre :

– Saute ! Saute ! Saute !

Tom sourit et lance :

– Merci !

– Saute ! le presse la Reine.

Le garçon se hisse à son tour à travers la faille rocheuse. Il quitte l'obscurité de la grotte pour surgir en plein soleil sur une étroite corniche. L'eau bleue étincelle dans la crique au-dessous de lui.

– Vas-y ! l'encourage Léa.

La petite fille danse comme un bouchon sur la houle légère. Tom ôte ses lunettes ; de l'autre main, il se pince le nez. Et il saute.

Deux phoques

Tom s'enfonce dans l'eau avec un grand bruit d'éclaboussures. Il descend jusqu'au fond et, d'un coup de pied, remonte à la surface. Non loin de là, Léa patauge comme un petit chien :

– Coucou, Tom !

– Coucou, Léa !

– C'est toi qui avais raison. La Reine Araignée voulait seulement nous aider.

– Oui.

Le garçon secoue ses lunettes et les replace sur son nez.

– Elle doit se sentir bien seule, reprend la petite fille. Je suppose qu'elle se cache dans cette grotte parce qu'elle se trouve trop effrayante pour se montrer.

– Peut-être.

Tom examine la deuxième crique. Des ombres pourpres s'allongent sur un rivage rocheux, au pied des falaises. Le soleil est déjà bas dans le ciel.

– On n'a plus beaucoup de temps, observe le garçon. Qu'est-ce qu'on fait, maintenant ?

– Que dit la comptine ?

Tom tire la coquille de sa poche et lit :

Avec la verte Selkie vous nagerez…

– C'est quoi, une Selkie ?

– Aucune idée !

Tom lève les yeux vers la falaise, il inspecte le rivage. « Une Selkie est-elle un poisson ? une personne ? une sorte de sirène ? » s'interroge-t-il.

Il aperçoit alors, juste sous la surface de l'eau, deux formes sombres fonçant droit vers eux telles des torpilles sous-marines.

– Attention ! crie-t-il.

– Hiiiiiiiiiii ! piaille Léa.

Les enfants ont juste le temps de s'écarter. Les créatures les frôlent, puis deux têtes moustachues, grises et luisantes apparaissent. Les bêtes ont un museau allongé, de minuscules oreilles et de gros yeux noirs.

– Des phoques ! s'exclame la petite fille, rassurée et ravie.

Les têtes des phoques pivotent comme des périscopes. Quand ils découvrent Tom et Léa, ils ouvrent largement la gueule, dévoilant leurs dents pointues. On dirait qu'ils rient.

– Salut, les gars ! leur lance Léa.

– Bark ! Bark ! répondent les phoques.

Ils cabriolent dans l'eau et viennent taquiner les enfants du bout de leurs museaux. Puis, avec des aboiements joyeux, ils filent vers le rivage.

– Viens, Tom ! s'écrie Léa. Allons jouer avec eux !

– On n'a pas le temps ! proteste son frère.

Mais la petite fille nage déjà derrière les deux bêtes.

– Léa ! Reviens ! Il faut trouver la Selkie ! Et l'Épée de Lumière ! Avant la nuit !

Tom a beau s'égosiller, Léa ne l'écoute pas. Elle a atteint le rivage et sort de l'eau, aussi dégoulinante que les phoques. Ceux-ci ont hissé leurs corps patauds sur un gros rocher et font claquer leurs nageoires. Léa grimpe elle aussi sur le rocher.

– Léa ! Reviens ! insiste Tom.

Il est au moins quatre heures. Et ils ont encore tant de choses à faire avant la tombée de la nuit !

– Viens plutôt, toi ! lui lance la petite fille. Reposons-nous une minute !

Elle s'assied près des phoques et flatte leurs têtes luisantes comme s'il s'agissait de bons gros chiens.

Tom pense qu'après tout il a besoin d'une petite halte, lui aussi.

« On n'a qu'à souffler un peu sur ce rocher, se dit-il. Après, on cherchera la Selkie. »

– D'accord ! lance-t-il en nageant vers le rivage. Mais juste une petite minute.

Il se hisse à son tour sur le rocher.

Les phoques sont étalés, le ventre en l'air. Il dorment au soleil ; seules leurs moustaches blanches frémissent.

– Chuuuuut ! fait Léa. Ne troublons pas leur sieste.

Elle s'allonge à côté des gros animaux et murmure :

– Viens, Tom ! On est si bien, ici. Allez, reste avec nous une seconde !

C'est vrai que ce soleil est très agréable. Tom rampe sur le rocher tiède et se couche près de sa sœur :

– D'accord. Une petite seconde.

Le garçon ferme les yeux. Une bonne chaleur se répand dans ses membres fatigués. La brise légère, venue de la mer, lui paraît douce et fraîche. Et, en une petite seconde, Tom tombe dans un profond sommeil.

La Selkie

– Debout, bande de paresseux ! Vous n'allez pas dormir tout l'après-midi ! les interpelle une voix moqueuse.

Tom ouvre les yeux. « Quelle heure est-il ? » se demande-t-il, affolé.

Il s'assied et regarde autour de lui.

Les phoques sont partis. Debout près de Léa se tient un garçon aux pieds nus, au visage couvert de taches de rousseur.

– Teddy ! s'exclame Tom.

Et, en un instant, il oublie son inquiétude.

– Teddy ! Teddy !

Léa se relève d'un bond et se jette au cou du jeune sorcier. Le sourire de Teddy lui étire la bouche d'une oreille à l'autre. Il est vêtu d'une tunique brune. Ses cheveux roux sont mouillés.

– Ainsi, te voilà ! dit Tom en riant.

– Je suis ici depuis un bon moment, explique Teddy. Merlin m'a fait partir tôt ce matin. Je vous attendais sur la plage quand Kathleen est venue m'inviter à nager avec elle.

Teddy désigne une fille à peu près du même âge que lui, debout sur le rivage, et il appelle :

– Kathleen ! Viens que je te présente mes amis !

La fille se faufile avec aisance entre les rochers.

Elle porte une robe verte, qui semble faite d'herbes tressées. Ses cheveux noirs et bouclés lui descendent en cascade jusqu'à la taille telle une vague sombre et luisante.

– Voici Tom et Léa, lui annonce Teddy.
Ils viennent d'un pays lointain.

– Bonjour, Tom ! Bonjour, Léa ! dit
Kathleen d'une voix amicale.

Ses grands yeux bleus reflètent tout l'éclat du ciel et de la mer. Tom en reste muet. C'est la plus jolie jeune fille qu'il ait jamais rencontrée !

– J'aime beaucoup ta robe, déclare Léa.

Kathleen rit :

– Je l'ai tissée moi-même avec des algues.

– Tu vis ici ?

– Oui, avec mes dix-neuf sœurs.

– Tes dix-neuf sœurs ? répète Léa.

– Oui. Je suis la plus jeune. Nous habitons une grotte dans la falaise.

– Super ! s'exclame Léa. Est-ce qu'elle ressemble à celle de la Reine Araignée ?

– Oh non ! Elle est bien plus agréable que la caverne de Morag !

– Morag ? C'est son nom ? La pauvre ! Elle paraît si solitaire !

– Oh, tu sais, Morag a beaucoup d'amis : des chauves-souris, des crabes, des étoiles de mer… Mais c'est gentil à toi de t'inquiéter pour elle.

Les manières amicales de Kathleen encouragent Tom à parler à son tour. Il s'éclaircit la voix et dit :

– Le Chevalier des Eaux est bien sympathique, lui aussi.

– Le Chevalier des Eaux ? répète Kathleen.

– Oui. C'est lui qui nous a fait traverser la première crique.

La jeune fille paraît stupéfaite.

– Et son cheval a une queue de poisson, précise Léa.

– Comme c'est étrange ! s'étonne Kathleen. Je viens souvent nager dans les parages, et je ne l'ai jamais vu !

– Tu vis ici depuis longtemps ? veut savoir Léa.

– Depuis toujours.

– Kathleen est une Selkie, déclare Teddy.

– Une Selkie ! s'exclament en chœur le frère et la sœur.

Leur réaction fait rire Kathleen.

– La comptine de Merlin parle de toi, reprend Léa. Elle dit : « Avec la verte Selkie vous nagerez… »

– Oui, enchaîne Tom. Merlin nous a envoyés chercher l'Épée de Lumière.

Le sourire de Kathleen s'efface aussitôt. Ses yeux bleus s'assombrissent :

– Vous êtes en quête de l'Épée de Lumière ? Oh, non… !

– Quel est le problème ? s'inquiète Tom.

– Beaucoup de gens sont venus, ils cherchaient cette épée, explique Kathleen. Mais, dès qu'ils pénétraient dans la dernière crique, par-delà la grotte aux Méduses, une terrible tempête éclatait, comme surgie de nulle part. Même en plein été, un blizzard se mettait à souffler, apportant une pluie glacée. Aucun n'y a survécu.

– Et toi, se renseigne Tom, tu es déjà allée dans cette crique ?

Kathleen secoue la tête :

– Mes sœurs me l'ont toujours interdit. En vérité, aucune Selkie n'a jamais nagé jusqu'à la crique des Tempêtes.

– La crique des Tempêtes ? répète Léa. La ligne suivante de la comptine de Merlin en parle : « Dans la crique des Tempêtes vous pénétrerez… »

– De quelle comptine parlez-vous ? intervient Teddy.

– Tiens, regarde ! dit Tom en lui montrant la coquille Saint-Jacques.

Le jeune sorcier lit rapidement le

message et la comptine. Puis il lève les yeux vers le ciel :

– Le soleil descend. Dépêchons-nous ! Il faut trouver l'épée avant la tombée de la nuit.

Léa se tourne vers Kathleen :

– La comptine dit que nous devons nager avec toi. Tu nous accompagnes ?

La Selkie reste un moment silencieuse. Puis elle secoue ses boucles noires et déclare, les yeux brillants :

– J'ai toujours désiré explorer cette crique !

– Bravo ! s'exclame Teddy. Tu seras la première Selkie à le faire. Une grande aventure nous attend, les amis ! En route !

Tom le retient par la manche :

– Attends ! Et la grotte aux Méduses ?

– Ne t'inquiète pas de ça, le rassure Kathleen. Les méduses ne pourront pas nous faire de mal.

– Elles ne pourront pas ?

– Non. Pas si nous nous changeons en phoques.

La crique
des Tempêtes

– Quoi ? souffle Léa.

Tom se tourne vers Teddy :

– Elle a bien parlé de se changer en phoques ?

– Bien sûr, dit le jeune sorcier. C'est ce que font les Selkies. Elles sont des humaines sur la terre, et des phoques dans la mer.

– C'est vrai ? demande Léa à Kathleen.

La jeune fille sourit :

– C'est vrai !

Tom la regarde avec de grands yeux. Il n'arrive pas à l'imaginer en phoque !

– Chaque fois que je retourne sur le rivage et que je me sèche au soleil, ma peau de phoque tombe, et je redeviens telle que tu me vois.

– J'y suis ! s'écrie Léa. Tu étais l'un des phoques que nous avons rencontrés dans l'eau !

Tom se tourne vers Teddy.

– Et toi, tu… tu…, bégaie-t-il. Mais… comment est-ce… ?

– Je suis magicien, ne l'oublie pas ! réplique Teddy en souriant.

Kathleen désigne deux peaux grises étalées sur le sable :

– Oui, mais cette fois c'est ma magie qui a fait le travail ! J'ai donné à Teddy une peau de phoque et j'ai prononcé une formule de Selkie.

– Et tu l'as transformé ?

– Oui ! Je ferai de même pour vous. Je suis sûre que mes sœurs ne se fâcheront pas si je leur emprunte deux peaux de plus.

La Selkie se dirige vers un amas de rochers. Teddy la regarde s'éloigner, puis il confie à Tom et Léa :

– C'est une grande magicienne, vraiment !

Tom reste sans voix. Il n'arrive pas à imaginer que lui et sa sœur sont sur le point de se métamorphoser en animaux marins !

Kathleen réapparaît, portant deux autres peaux. Elle en tend une à chacun :

– Tenez. Faites comme moi.

La Selkie et Teddy ramassent leurs peaux abandonnées et commencent à les enfiler à la façon d'une combinaison de plongée. Tom et Léa les imitent.

– Avant de nous recouvrir la tête et le visage, dit Kathleen, nous devons entrer dans l'eau. Suivez-moi.

Tom patauge maladroitement avec les autres tout en pensant : « C'est complètement fou ! On ne se transforme pas en phoque rien qu'en portant un costume de phoque ! »

Lorsqu'ils ont de l'eau jusqu'à la taille, Kathleen les arrête :

– Mettez la peau sur votre tête. Je vais prononcer quelques mots en langage selkie, et nous plongerons.

Teddy adresse un grand sourire à Tom et à Léa :

– Souvenez-vous ! On a volé ensemble dans le ciel[1]. Aujourd'hui, on va nager sous l'eau !

Tom hoche la tête, mais il n'arrive toujours pas à y croire. Il remonte sur sa tête l'espèce de capuchon de peau. Il le rabat sur son front, puis sur ses lunettes, son nez, son menton… Il ne voit plus rien, il ne peut plus parler. Il voudrait arracher ce masque opaque de son visage, mais la voix de Kathleen arrête son geste :

– *An-ca-da-tro-ha-di-mi* ! *Ba-mi-hu-no-nai-ha-ni* !

Tom entend un bruit de plongeon, puis deux autres. À son tour, il se jette dans les vagues.

[1] Lire le tome 25, *Les mystères du château hanté.*

Dès que l'eau recouvre son corps, le garçon sent la peau de phoque se fondre avec la sienne. Sa poitrine devient aussi large qu'un tonneau. Ses bras et ses jambes se changent en nageoires.

Tom fend les flots comme une torpille. En remuant ses nageoires de devant, il vire à droite, à gauche… En agitant sa nageoire caudale, il se propulse vers l'avant. Il roule sur lui-même, il se faufile entre des bancs de petits poissons, à travers une jungle d'algues vertes. Il descend dans les profondeurs de la crique. Puis, d'un coup de queue, il remonte à la surface. Avec ce corps souple et puissant, il nage dix fois plus vite qu'à l'ordinaire. Il voit et il entend parfaitement !

Tom bondit, plonge et recommence. Deux phoques apparaissent près de lui. Des bulles sortent de leurs bouches. Ils produisent des cliquetis et des gargouillis.

Et Tom comprend très bien ce que ces sons signifient :

– Hé, Tom ! C'est moi, Léa !

– Et c'est moi, Teddy !

Tom les interpelle dans le même langage :

– Ça va, les amis ?

Il perçoit alors une sorte de trille. C'est Kathleen, qui nage souplement vers lui :

– Coucou, Tom !

– Coucou, Kathleen ! lui répond-il en cliquetant.

Il voudrait dire à la Selkie à quel point il s'amuse. Au moment où il ouvre la bouche, une flottille de minuscules poissons se précipite dans sa gorge. Sans même réfléchir, il les avale d'un coup. Délicieux ! Il éclate d'un grand rire de phoque, ce qui fait monter de grosses bulles à la surface de l'eau.

– En route, Kathleen ! s'écrie Teddy. Conduis-nous à la grotte aux Méduses !

Le Vieux Fantôme Gris

Les quatre bêtes évoluent avec grâce dans les eaux ensoleillées de la crique.

Bientôt, elles pénètrent dans la grotte aux Méduses, envahie par la mer. Là, l'eau est froide et sombre. Mais, protégé par la graisse de son corps de phoque, Tom est au chaud, et ses yeux de phoque y voient parfaitement.

À mesure qu'ils s'enfoncent dans la grotte, les méduses apparaissent. Au début, elles ne sont que quelques-unes. Puis elles les entourent par centaines, par milliers !

Des méduses roses, des méduses pourpres, des orangées et des chocolat, des méduses aussi larges que des ombrelles ou pas plus grosses que des pièces de monnaie, des méduses en forme de cloche, de soucoupes, de parachutes ou de champignons, des méduses aussi brillantes que des flammes, et d'autres, transparentes comme du verre.

Certaines avancent par pulsations, d'autres dérivent lentement, leurs longs tentacules traînant derrière elles. Tom nage parmi ces bêtes gélatineuses, et il n'a même pas peur ! Son épaisse peau de phoque le protège des piqûres.

Kathleen conduit Tom, Léa et Teddy à travers une étroite faille dans la troisième crique, aux eaux d'un vert laiteux.

Les quatre phoques pointent la tête à la surface et aspirent de profondes goulées d'air.

Tom examine la crique des Tempêtes, les moustaches frémissantes.

Un grand silence y règne. Une brise légère court sur l'eau sans y produire la moindre ride. La crique est bordée d'étranges collines vertes, qui luisent dans la belle lumière de l'après-midi. Au loin s'élèvent des montagnes aux sommets couverts de neige. Sur une falaise, à une bonne distance de là, Tom aperçoit l'arbre où s'est posée la cabane magique.

– Montez sur ces rochers et séchez-vous, lance Kathleen.

Ils se dirigent vers un îlot rocheux, au milieu de la crique. Tom hisse sa masse grassouillette hors de l'eau. Il souffle, grogne, claque des nageoires. Son corps de phoque, si gracieux quand il nage, lui paraît à présent lourd et maladroit.

Sous les chauds rayons du soleil, il sent sa peau rétrécir. Et, d'un coup, elle se déchire comme un sac en papier trop rempli. Tom est de nouveau un garçon, allongé sur le rocher, en short et en T-shirt. Il s'assied et remet ses lunettes en place.

– C'était trop bien ! s'écrie Léa.

La même magie a redonné à sa sœur son apparence de petite fille. Teddy et Kathleen sont redevenus des humains, eux aussi.

Tom regarde le ciel :

– Je ne vois aucun signe de tempête.

– Moi non plus, dit Teddy. Mais je n'aime pas cet endroit, il me donne la chair de poule…

Le jeune sorcier scrute les alentours, les sourcils froncés. Tom lui jette un coup d'œil anxieux : si Teddy est inquiet, c'est que quelque chose ne va pas ! D'habitude, il prétend n'avoir peur de rien.

– La journée est bien avancée, remarque-t-il en observant le soleil, qui descend à l'horizon. Gagnons vite le rivage et trouvons l'épée ! Mieux vaut quitter cette crique le plus vite possible.

– Je crains que ce ne soit pas si facile, intervient Kathleen. Regarde !

Un épais brouillard descend des montagnes. Bientôt, il avale la falaise où la cabane magique attend Tom et Léa. En un instant, il dissimule les collines vertes. Puis il rampe silencieusement sur les eaux immobiles.

– Aïe ! fait Kathleen. Nous voilà pris dans le manteau du Vieux Fantôme Gris !

– Le manteau du… ? marmonne Tom.

– Oui, du Vieux Fantôme Gris. C'est ainsi que nous, les Selkies, nous appelons le brouillard.

– Et la comptine de Merlin en parle ! s'écrie Léa. Tu te souviens, Tom ? « Sous le manteau du Vieux Fantôme Gris vous plongerez » !

Tom pousse un soupir de soulagement : le Vieux Fantôme Gris n'est pas un vrai fantôme !

– Alors, nous n'avons plus qu'à chercher l'épée, quelque part dans ce brouillard !

– La comptine dit qu'il faut plonger, fait remarquer Teddy.

– Oh ! Tu as raison. Est-ce que ça signifie que nous devons reprendre nos peaux de phoque ?

– Nous ne pouvons pas tous redevenir des phoques, intervient Kathleen. Comment soulever une lourde épée avec des nageoires ?

Léa décide :

– Teddy et toi, vous serez les phoques. Quand vous aurez trouvé l'épée, vous nous montrerez où elle est. Alors, Tom et moi, nous plongerons pour l'attraper.

Tom s'apprête à déclarer qu'il préférerait être un phoque. Mais il n'en a pas le temps.

Teddy s'exclame :

– Bonne idée !

– Oui, excellente ! renchérit Kathleen. Tes amis sont très courageux.

Et elle adresse un grand sourire à Tom.

– Euh… oui, pas de problème…, marmonne le garçon.

Déjà cachés par le brouillard, le jeune sorcier et la Selkie se glissent de nouveau dans leur peau de phoque. Tom entend la voix de Teddy :

– À plus tard, les amis !

Kathleen récite sa formule magique, puis on entend deux bruits de plongeon.

– J'espère qu'ils trouveront vite, murmure Léa.

– Moi aussi.

Pendant un long moment, les enfants restent silencieux, l'oreille tendue, guettant un cri de phoque.

– Je me demande quelle heure il est, dit enfin Léa.

– Impossible de savoir.

– Ils devraient…

– Chut ! fait Tom.

Il perçoit un aboiement étouffé, puis un deuxième. Mais, dans un tel brouillard, il ne saurait dire d'où cela provient.

– Où sont-ils ?

– Par là, je crois.

SPLASH ! Léa a sauté à l'eau. Tom ne la voit même plus.

– Léa ! hurle-t-il, affolé.

– Je suis là ! Viens !

Tom ôte ses lunettes et les pose sur le rocher. Puis il se glisse prudemment dans l'eau. Que son corps de garçon lui paraît frêle et fragile, comparé à son puissant corps de phoque ! Il ne peut plus nager aussi vite ; il serait incapable de retenir sa respiration sous l'eau. Et cette eau, il la trouve glacée !

Il entend les aboiements de plus en plus forts :

– Bark ! Bark !

Tom ne repère leurs amis qu'à l'instant

où il se cogne dedans. Teddy et Kathleen nagent en rond, tout excités.

– Vous avez trouvé l'épée ? leur crie Léa.

Les deux phoques plongent. Tom et Léa prennent une grande inspiration et plongent à leur tour.

Ils descendent rapidement jusqu'au fond sablonneux de la crique et nagent en cercle autour d'un objet brillant.

C'est le pommeau d'or d'une épée !

L'Épée de Lumière

Léa désigne le pommeau, et Tom hoche la tête. Mais il faut absolument qu'il respire. Il remonte vite à la surface. Sa sœur le suit. Dès que leurs têtes surgissent hors de l'eau, Léa souffle :

– Tu l'as vue ?

– Oui. La lame est enterrée dans le sable.

– Il faut qu'on la sorte de là, et vite !

– Oui. On y retourne ?

Ils inspirent un grand coup et plongent de nouveau. Tom arrive au fond le premier.

Il saisit le pommeau et tire. L'épée ne bouge pas.

Léa referme sa main au-dessus de celle de Tom. Ils tirent ensemble de toutes leurs forces. L'épée frémit légèrement. Tom a l'impression que ses poumons vont exploser.

Les enfants s'acharnent. Et, soudain, la lame étincelante jaillit du sable !

Tom et Léa remontent aussi vite qu'ils le peuvent. Ils crèvent la surface, avalant l'air à grandes bouffées, cramponnés à l'épée.

– On l'a eue ! clame Tom.

Leurs amis se mettent à cabrioler autour d'eux avec des cris de joie :

– Bark ! Bark !

– Retournons au rocher ! leur lance Léa.

Tenant chacun l'épée par une main, Tom et Léa battent des pieds et pagaient avec leur main libre.

Peu à peu, le brouillard se dissipe, le ciel redevient bleu. Lorsqu'ils atteignent l'îlot rocheux, le soleil rasant fait de nouveau étinceler les étranges collines vertes du rivage.

– Tiens l'épée le temps que je grimpe ! dit Tom à sa sœur.

Le garçon se hisse sur le rocher. Il récupère ses lunettes, puis il prend l'arme des mains de Léa, la monte avec précaution et la pose à côté de lui.

Léa émerge à son tour. Les têtes des deux phoques pointent hors de l'eau. Teddy et Kathleen contemplent l'épée en silence, émerveillés.

– Ouf ! soupire Léa. On l'a eue !

Tom hoche la tête. La puissante lame semble flamber dans les lueurs rouges du couchant.

– Rapportons-la vite à Merlin ! reprend la petite fille. La nuit ne va pas tarder.

– Ah, oui ! « Avant que la nuit tombe, en

ce long jour d'été… », se souvient Tom.
Dépêchons-nous !

Soudain, les phoques lancent un cri
d'avertissement. Tom et Léa lèvent les
yeux. De grosses rides courent à la surface
de l'eau. Puis des vagues s'écrasent sur
l'îlot, éclaboussant les enfants.

– Que se passe-t-il ? s'inquiète Tom.

– On dirait qu'une tempête se lève, fait
remarquer Léa.

– Bark ! Bark !

Kathleen et Teddy tentent de se hisser sur
le rocher ; en vain. Le flot les repousse.

– Aide-moi, Tom ! Sortons-les de là !
s'écrie Léa.

Mais leurs mains glissent sur les peaux
lisses des bêtes, et ils manquent de retom-
ber dans l'eau avec eux.

Les vagues déferlent, de plus en plus
fortes.

– Bark ! Bark !

Rien à faire ! Les phoques sont entraî-
nés loin de l'îlot.

Léa pousse alors une exclamation :

– Les collines ! Elles… bougent !

Tom se tourne vers le rivage. C'est vrai !
La ligne verte se déforme, elle ondule !

Un puissant rugissement emplit la crique. Une tête monstrueuse s'élève au-dessus de la mer.

Les vertes collines ne sont pas des collines, ce sont les anneaux d'un gigantesque serpent de mer !

Une question
très ancienne

– Aaaaaaaaah ! hurlent Tom et Léa.

Le long cou du monstre se tord au-dessus de leurs têtes. Ses écailles vertes scintillent dans les derniers rayons du soleil. Ses yeux brûlent comme la flamme jaune d'une lampe.

Sous ce terrible regard, les enfants croient mourir de peur.

La créature ouvre la gueule, découvrant des crocs luisants, une langue pourpre et fourchue.

Puis elle émet un long sifflement.

Tom et Léa se blottissent l'un contre l'autre.

Des cris frénétiques leur parviennent de très loin : les phoques !

– Teddy ! hurle Tom. Kathleen ! Au secours !

– Leur magie ne peut rien pour nous, s'affole Léa. Ils sont coincés dans leur corps de phoque !

À peine a-t-elle fini sa phrase qu'une voix terrible résonne dans toute la crique :

– QUI ÊTES-VOUS ? POURQUOI AVEZ-VOUS VOLÉ L'ÉPÉE DE LUMIÈRE ?

Tom est trop abasourdi pour répondre. Léa, elle, crie au monstre :

– Nous sommes Tom et Léa. Nous accomplissons une mission pour Merlin.

– SSSSSSSSSSSS ! siffle le serpent avec colère.

Il agite la langue, tandis que son corps énorme s'enroule autour de l'îlot. Le

serpent arque le cou et penche vers les enfants son énorme tête :

– POUR MÉRITER CETTE ÉPÉE, VOUS DEVREZ RÉPONDRE À UNE QUESTION.

– Quelle question ? demande Léa.

– SSSSSSSSSSSS !

Les anneaux du serpent ondulent. Le corps vert fait à présent deux fois le tour du rocher.

« Il va nous écraser ! pense Tom avec horreur. À moins que… »

– Utilisons l'épée pour nous défendre ! souffle-t-il à sa sœur.

Réunissant leurs forces, les enfants soulèvent l'arme pesante. Ils la saisissent par le pommeau et menacent le serpent de sa pointe acérée.

– Arrière ! crie Tom au monstre.

Mais la tête du serpent s'approche, les yeux flamboyants, la gueule grande ouverte, la langue frémissante.

– Stop ! Attends, lui lance Léa. Donne-nous une chance. Pose ta question.

Le serpent referme la gueule.

D'une voix lente et profonde, il leur demande :

– À QUOI DOIT SERVIR CETTE ÉPÉE ?
VOILÀ MA QUESTION.

– À quoi doit servir… ? répète Léa.
Laisse-nous réfléchir une
minute, d'accord ?

La petite fille se
tourne vers son
frère :

– À ton avis ?

– Euh… À
vaincre des
ennemis ?

Léa secoue
la tête :

– Non, c'est trop
banal.

– À les effrayer ? À les tuer ?

– Non, non, ce n'est sûrement pas ça la
bonne réponse…

– SSSSSSSSSSSSSSS !

Le serpent siffle d'impatience.

– Alors, c'est quoi ? se désespère Tom.

– Je ne sais pas. Peut-être… peut-être que ce n'est pas une histoire de combat. Regarde cette épée !

Tom fixe l'arme fabuleuse. Sa lame argentée reflète l'éclat rouge du couchant. Cette vision apaise peu à peu le garçon.

Un étrange sentiment de joie le submerge.

– RÉPONDEZ À LA QUESTION ! rugit le serpent.

Tom a l'esprit clair, tout à coup. Il dit à sa sœur :

– Je crois que j'ai trouvé. Souviens-toi de la comptine de Merlin : « Sans peur, avec votre cœur, à une question vous répondrez ! »

– Oui ! s'écrie la petite fille. C'est cela ! Ça n'a rien à voir avec la guerre.

– RÉPONDEZ À LA QUESTION !

Tom fixe le serpent. Il plonge avec assurance son regard dans les terribles yeux jaunes. C'est le monstre qui semble impressionné, à présent.

Le garçon déclare d'une voix forte :

– L'épée ne doit servir ni à blesser ni à tuer !

– Oui, renchérit Léa. Elle n'existe que pour faire le bien !

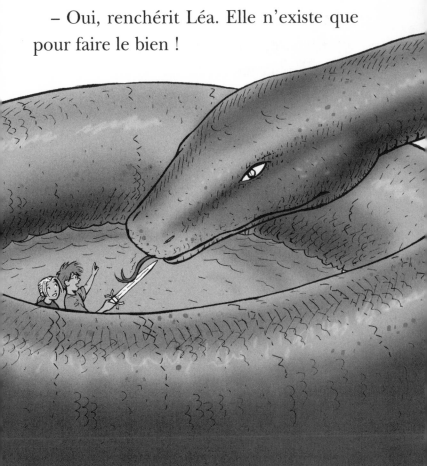

La tête du serpent cesse d'osciller, sa langue frétille.

– Cette épée n'épouvantera personne, reprend le garçon. Au contraire, elle chassera la peur. Et, si les gens n'ont plus peur les uns des autres, ils cesseront de se battre.

Le serpent reste immobile. Tom conclut :

– Cette épée n'est pas faite pour la guerre, mais pour la paix !

Par une formule
et par l'épée...

Le serpent incline la tête jusqu'aux enfants et siffle doucement :

– Ssssssssssssss !

Sa langue pourpre caresse un instant la lame d'argent.

Tom croit que son cœur va s'arrêter de battre. Puis le serpent recule, et ses anneaux se dénouent, libérant l'îlot.

Le gigantesque corps reprend peu à peu sa place le long du rivage, bordant de nouveau la crique tel un cercle de vertes collines. L'énorme tête replonge dans la mer sans provoquer la moindre petite vague. Et tout redevient comme avant.

Tom et Léa reposent l'épée sur le rocher. Avec un gros soupir de soulagement, il s'assoient de chaque côté.

À cet instant, deux têtes moustachues pointent à la surface, de nouveau tranquille.

– Bark ! Bark !

Tom et Léa éclatent de rire.

– Teddy ! Kathleen ! appelle la petite fille. Revenez ! Il n'y a plus de danger !

Les phoques se hissent hors de l'eau et s'affalent sur le rocher.

– Le serpent nous a posé une question, et c'est l'épée qui nous a donné la réponse, explique Tom.

Tous regardent l'arme fabuleuse qui scintille encore, bien que le soleil soit très bas à l'horizon, et que le crépuscule assombrisse déjà le ciel pourpre.

– Il faut que nous l'emportions d'ici avant qu'il fasse complètement nuit, rappelle Léa à son frère.

– Je sais. Mais comment ?

– Que dit la comptine de Merlin ?

Tom sort la coquille Saint-Jacques de sa poche et relit les deux dernières lignes :

Par une formule et par l'épée,
Votre maison vous retrouverez !

– Ça n'a aucun sens ! soupire le garçon.

– Peut-être que si…, fait une voix derrière lui.

Les enfants se retournent. Teddy et Kathleen ont retrouvé leur forme humaine. Leurs peaux de phoque gisent sur le rocher.

– Il s'agit d'une formule magique, vous ne pensez pas ? reprend Teddy. Et je suis magicien, rappelez-vous !

– Comment on aurait pu l'oublier ? le taquine Léa.

Teddy sourit :

– J'ai fait beaucoup de progrès depuis notre dernière aventure. Regardez !

Il frotte ses paumes l'une contre l'autre. Puis il soulève délicatement l'Épée de Lumière. Il saisit le pommeau à deux mains, il pointe la lame d'argent vers la cabane magique, qu'on aperçoit au loin.

Il prend une grande inspiration et déclame :

– Ô Épée de Lumière,
Illumine à présent la nuit !

Puis il se tait et attend. Tom est inquiet : Teddy a souvent du mal avec ses formules… Même celles qu'il prononce en entier ne marchent pas toujours comme il le souhaite.

Kathleen s'approche du jeune sorcier et lui murmure :

– Dis-la encore une fois !

Terry clame de nouveau :

– Ô Épée de Lumière,
Illumine à présent la nuit !

Et Kathleen termine dans la langue des Selkies :

– Mai-i-bri-stro-eh-brite !

L'épée se met à vibrer dans les mains de Teddy. Un éclair en jaillit. Des rayons lumineux traversent la pénombre, ils se tissent, s'entremêlent et forment bientôt une passerelle scintillante. Elle s'étend de l'îlot rocheux jusqu'au sommet de la falaise où se trouve la cabane magique.

– Wouah ! lâche Léa.

Se tournant vers Kathleen, elle demande :

– Qu'est-ce que tu as récité, pour compléter la formule ?

– *Mai-i-bri-stro-eh-brite !* « Forme une arche qui porte notre marche ! »

– Exactement ce que j'allais dire, prétend Teddy.

– Mais oui, bien sûr ! raille gentiment Kathleen.

Puis, prenant la main du jeune sorcier, elle déclare à Tom et Léa :

– C'est un pont qui vous mènera de mon monde au vôtre.

– Alors, on… on peut marcher dessus ? s'étonne Tom.

– Vas-y ! l'encourage Teddy. Essaie !

– Oh là là ! fait le garçon, secoué d'un rire nerveux.

Il lève un pied et le pose sur la fragile passerelle lumineuse. Il pose l'autre pied, il avance d'un pas… C'est aussi solide qu'un pont de pierre ! Léa imite son frère. La passerelle est assez large pour qu'ils puissent y avancer côte à côte. La petite fille soupire, émerveillée :

– C'est trop bien !

– Attendez ! les retient Teddy. N'oubliez pas ceci !

Et il leur tend l'Épée de Lumière.

Les deux enfants saisissent chacun une poignée du pommeau.

– Et vous ? demande Tom.

– Je vais retrouver ma caverne, maintenant, dit Kathleen. Mes sœurs doivent s'inquiéter.

– Moi, dit Teddy, je raccompagne Kathleen, puis je retourne dans le futur, au royaume de Camelot.

– Souviens-toi que tu es invité à dîner avec moi et mes sœurs, lui rappelle la Selkie.

– Oh… ! fait Tom.

Comme il aimerait dîner avec les Selkies, lui aussi ! Il voudrait tant rester plus longtemps en compagnie de Teddy et de Kathleen.

– Allons-y, Tom, le presse Léa. La nuit est presque tombée.

– On y va !

– Au revoir, et merci ! leur lance

Kathleen. Je suis émer-
veillée par la facilité
avec laquelle vous avez
vaincu votre ennemi !

– Le serpent de mer
n'était pas un ennemi,
affirme Tom.

– C'est comme la Reine Araignée,
explique Léa. L'un et l'autre, ils avaient
l'air très effrayant, jusqu'à ce qu'on
apprenne à les connaître un peu.

– Est-ce que nous nous reverrons ?
demande Tom.

– Sûrement ! J'ai même le pressen-
timent que ce sera bientôt, déclare la
Selkie.

Teddy sourit :

– On se retrouvera au moment où on s'y
attendra le moins. À présent, mes amis,
partez. La nuit tombe très vite. Au revoir !

– Au revoir !

Tom et Léa avancent sur le pont lumineux. L'Épée de Lumière éclaire leur chemin comme une lanterne. Tom entend deux bruits de plongeon, derrière eux.

Il s'arrête et tend l'oreille.

– Allez ! s'impatiente Léa. Viens !

Tom se remet en marche, et tous deux franchissent le pont de lumière.

Lorsqu'ils arrivent sur la falaise, ils se retournent pour regarder en arrière. Le pont scintille comme des millions de pièces d'or. Puis il monte dans le ciel, se déploie en corolles lumineuses tel un feu d'artifice. Et tout s'éteint.

Le silence et la nuit retombent sur la crique. On entend seulement, au loin, de joyeux cris de phoques.

L'Île d'Avalon

– Et maintenant ? demande Tom.

Une voix grave lui répond :

– Maintenant, je dois vous remercier.

– Merlin ! s'écrie Léa.

Une haute silhouette émerge de l'ombre. Le magicien est vêtu de son grand manteau rouge. Le rayonnement de l'épée fait étinceler sa longue barbe blanche.

Il déclare :

– Vous avez tiré à temps l'Épée de Lumière hors de l'obscurité : juste avant que s'achève le premier jour du solstice d'été.

– Pourquoi devions-nous le faire ce jour-là ? s'enquiert Tom.

– Parce que c'est le moment de l'année où les pouvoirs du Sorcier de l'Hiver sont le plus affaiblis.

– Le Sorcier de l'Hiver ? répète Léa. Est-ce que l'épée lui appartient ? Est-ce que nous la lui avons volée ?

– Oh non ! Il y a bien longtemps de cela, le Sorcier de l'Hiver déroba cette épée à la Dame du Lac et l'emporta dans son royaume, qui domine la mer du Nord.

Merlin désigne les sommets enneigés des montagnes, au-delà de la côte rocheuse :

144

– Le Sorcier découvrit bientôt que l'Épée de Lumière ne lui servirait à rien, car la Dame du Lac l'avait protégée par un sort. Ainsi, l'épée ne révélerait sa puissance qu'entre les mains de mortels qui la méritaient. Il refusa cependant de s'en séparer et l'enfonça au centre de la crique.

– La crique des Tempêtes…, souffle Tom.

– Oui. Des mouettes m'ont révélé son emplacement. Il me fallait donc trouver des mortels au cœur pur pour la retirer de sa prison d'eau et de sable. C'est pourquoi je vous ai envoyé un message, au matin du solstice d'été. Je savais que le Sorcier de l'Hiver ne déchaînerait pas de tempête pour vous empêcher de la récupérer. Il ne pouvait que vous envelopper dans le manteau du Vieux Fantôme Gris.

– Alors, le brouillard, c'était l'œuvre du

sorcier ! comprend Léa.

– Est-ce lui qui a installé le serpent de mer autour de la crique ? veut savoir Tom.

Merlin sourit :

– Non. Le serpent est un serviteur de la Dame du Lac. Ayant recherché l'épée en secret, il est devenu son gardien. Si des mortels résistaient aux tempêtes lancées par le Sorcier de l'Hiver, ils devaient montrer leur valeur en trouvant la réponse à sa question. J'ai estimé que vous sauriez répondre avec intelligence. J'avais raison.

– Votre comptine nous a bien aidés, reconnaît Tom.

Les enfants présentent à Merlin l'Épée de Lumière, et Léa demande :

– Allez-vous l'enfoncer dans un rocher,

à présent ? Est-ce elle qui permettra à Arthur de devenir roi ?

– Non. Cette épée est encore plus puissante. Elle se nomme Excalibur.

– Excalibur ! s'exclament en même temps Tom et Léa.

– Je vais maintenant la rapporter sur l'Île d'Avalon, et la rendre à la Dame du Lac. Un jour, elle la remettra à Arthur, au temps où il sera roi. Cette arme lui permettra d'affronter bien des épreuves avec courage et sagesse. Il...

Merlin est interrompu par un bruit étrange montant de l'eau, au-dessous d'eux. Ça ressemble au son d'une corne de brume.

– Qu'est-ce que c'est ? fait Tom.

– Oh, c'est vrai ! dit Merlin. J'allais oublier !

Il pointe l'épée en direction de la crique des Tempêtes. Sa lumière balaie les eaux noires tel le faisceau d'un phare. Merlin promène le rayon lumineux sur les vagues ; on dirait qu'il cherche quelque chose. Enfin il souffle :

– Ah, le voilà !

L'énorme tête du serpent se dresse à la surface de la mer ; ses yeux jaunes brillent comme des lampes.

– Il se lamente parce que rien ne le retient plus ici. Il est temps que nous l'aidions à regagner les eaux d'Avalon.

Le magicien élève lentement l'épée.

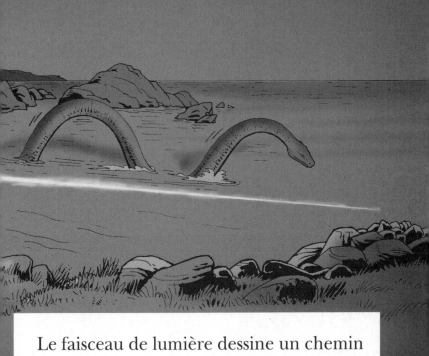

Le faisceau de lumière dessine un chemin
jusqu'à la sortie de la crique. Le reptile
géant le suit et disparaît bientôt derrière
la houle de la haute mer.

– Sa mission est accomplie, murmure
Léa.

– La vôtre aussi, mes jeunes amis, dit Merlin. Vous allez remonter dans la cabane magique et regagner votre maison.

Éclairés par l'épée, Tom et Léa se dirigent vers l'échelle de corde et grimpent dans la cabane. Dès qu'ils sont en haut, ils courent à la fenêtre.

Merlin se tient au pied de l'arbre, dans l'éclat de la lumière magique.

– Au revoir ! lancent les enfants.

Le magicien agite la main en signe d'adieu. Ce geste rappelle quelque chose à Tom, mais quoi ?

– Allons-y ! décide Léa.

Tom sort la co-quille Saint-Jacques

de sa poche. Il pose le doigt sur les mots
« Bois de Belleville » et déclare :

– Nous souhaitons rentrer à la maison !

– Hé ! s'écrie sa sœur. Nos baskets ! On
les a laissées sur la plage !

Trop tard !

Le vent se met à souffler, la cabane à
tourner. Elle tourne plus vite, de plus en
plus vite.

Puis tout s'arrête, tout se tait.

Une brise tiède pénètre dans la cabane.
Le soleil de midi brille entre les feuilles
des arbres. Comme d'habitude, le temps
n'a pas passé, dans le Bois de Belleville.

– Le Chevalier des Eaux, déclare Tom,
c'était Merlin.

– Quoi ?

– Oui. Quand il nous a dit au revoir, il a
fait exactement le même geste que le chevalier. Tu te souviens ?

Tom lève la main et imite Merlin. Léa éclate de rire :

– Tu as raison ! J'aurais dû y penser. Il s'arrange toujours pour nous aider, au début d'une mission.

– Et, maintenant, nous possédons trois objets venant de lui.

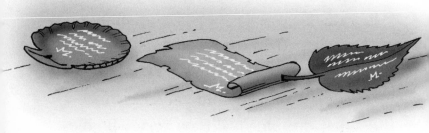

Le garçon pose la pâle coquille bleutée sur le plancher, près de la feuille d'automne et de l'invitation royale. Puis il se tourne vers sa sœur :

– On rentre ?

La petite fille hoche la tête.

Les enfants descendent de la cabane et s'engagent sur le sentier, pieds nus.

– On n'aura qu'à raconter à maman qu'on a oublié nos baskets à une époque de légende, bien avant celle du roi Arthur ! dit Tom.

– Oui, enchaîne Léa. En allant chercher l'Épée de Lumière volée à la Dame du Lac par le Sorcier de l'Hiver, et gardée par un serpent de mer géant !

– Voilà ! Une explication toute simple !

– Tu as toujours envie d'aller te baigner ?

Tom se souvient du plaisir de nager dans les profondeurs des eaux.

– Ce ne sera pas comme avec Teddy et Kathleen, soupire-t-il. Nous ne serons plus des phoques.

– On n'aura qu'à imaginer ! Dépêchons-nous, sinon, maman dira qu'il est trop tard pour partir au lac !

Les enfants se mettent à courir. Ils arrivent chez eux hors d'haleine.

– Wouah ! souffle Léa. Regarde !

Deux paires de baskets sont alignées devant leur porte.

Tom et Léa grimpent les marches du porche et ramassent leurs chaussures.

Quand Tom retourne l'une d'elles, il en tombe un peu de sable blanc et deux minuscules coquillages.

– Qui les as rapportées ? Et comment ? s'étonne le garçon.

Un cri de mouette lui fait lever la tête. L'oiseau crie encore, puis se fond d'un coup d'ailes dans l'éclatante lumière du soleil.

Léa hausse les épaules :

– Oh, ce n'est qu'un peu de magie !

Et elle rentre dans la maison en appelant :

– Maman ? On est prêts !

FIN

Si tu as envie de nous donner
tes impressions sur la série
ou nous parler de **tes propres voyages**
réels ou imaginaires,
n'hésite pas à nous écrire !

Bayard Éditions Jeunesse
Série Cabane magique
3, rue Bayard
75008 Paris

N'oublie pas d'écrire
ton nom et ton adresse sur la lettre !